BIBLIOTHÈQUE NATIONALE DE FRANCE

Président : Bruno Racine
Directrice générale : Sylviane Tarsot-Gillery
Directeur des Collections : Denis Bruckmann
Directeur de la Diffusion culturelle : Thierry Grillet
Directeur du département des Éditions : Benjamin Arranger
Délégué à la Communication : Marc Rassat
Chef du service de presse : Claudine Hermabessière
Déléguée au Mécénat : Kara Lennon Casanova

Ce volume est issu des collections de la Bibliothèque nationale de France.
Les clichés ont été réalisés par le département de la Reproduction (reproduction@bnf.fr).

RÉÉDITION DE CET OUVRAGE

Direction éditoriale : Marie-Caroline Dufayet (BnF),
Lucette Savier (Albin Michel Jeunesse)
Direction de collection : Carine Picaud (BnF)

POUR L'ÉDITION DE L'EXEMPLAIRE ICI REPRODUIT, publié sous le titre *Sleepy Book*
© Vladimir Bobri / HarperCollins pour les illustrations
© 1958, renewed 1987 Charlotte Zolotow Trust pour le texte

POUR LA PRÉSENTE ÉDITION, publiée en accord avec HarperCollins Children's Books
et Edite Kroll Library Agency Inc. avec L'Autre Agence
© Bibliothèque nationale de France / Albin Michel Jeunesse, 2015
BnF : Quai François-Mauriac, 75013 Paris – http://editions.bnf.fr
Albin Michel : 22, rue Huyghens, 75014 Paris – www.albin-michel.fr

ADAPTATION DE L'ANGLAIS (ÉTATS-UNIS) PAR MICHELLE NIKLY

Loi n° 49-956 du 16 juillet 1949 sur les publications destinées à la jeunesse
Dépôt légal : second semestre 2015 – N° d'édition : 21806
ISBN-13 : 978-2-226-31584-7
ISBN BnF : 978-2-7177-2666-4
Imprimé en Chine chez Toppan

À MA MÈRE

BONNE NUIT

CHARLOTTE ZOLOTOW

ILLUSTRATIONS DE VLADIMIR BOBRI

BIBLIOTHÈQUE NATIONALE DE FRANCE
ALBIN MICHEL JEUNESSE

LES OURS
DORMENT
DANS
LEUR
SOMBRE
TANIÈRE
TOUT
AU LONG
DE L'HIVER

LES PIGEONS
DORMENT
ALIGNÉS
SERRÉS LES UNS
CONTRE
LES AUTRES
POUR
SE TENIR
BIEN CHAUD

LES POISSONS
DORMENT
BERCÉS
PAR LES ALGUES
VERTES
LA BOUCHE
ET LES YEUX
GRANDS
OUVERTS

LES PAPILLONS
DE NUIT
DORMENT
LES AILES REPLIÉES
PAREILS
À DE PETITES
FEUILLES BLANCHES
POSÉES
SUR LES MURS
ET LES FENÊTRES

LES CHEVAUX
DORMENT
DEBOUT
AU PRÉ
OU À L'ÉCURIE
TOUT EN AGITANT
LEUR QUEUE
POUR ÉLOIGNER
LES MOUCHES

LES PHOQUES
DORMENT
À PLAT VENTRE
SUR
LA GLACE
BIEN CALÉS
PAR
LEURS NAGEOIRES

LA BLANCHE
GRUE
DORT
DEBOUT
SUR UNE
DE SES LONGUES
PATTES
COMME
UNE FLEUR
SUR SA TIGE

LES SAUTERELLES
DORMENT
DANS LES HERBES
HAUTES
AUXQUELLES
ELLES RESSEMBLENT
À S'Y MÉPRENDRE
– ELLES SONT
SI
CALMES

LES TORTUES
DORMENT DANS
LEUR CARAPACE
ET PERSONNE
NE POURRAIT
DEVINER
QU'ELLES
S'Y CACHENT

LES CHENILLES
DORMENT
DANS
LEUR
COCON
SOYEUX

LES ARAIGNÉES
QUAND
ELLES DORMENT
RESSEMBLENT
À DE MINUSCULES
TACHES D'ENCRE
SUR
LEUR TOILE
DE DENTELLE

LES CHIENS
DORMENT
AU PIED D'UN LIT
OU DANS UN PANIER
OU SUR UN TAPIS
PRÈS
DE QUELQU'UN
QU'ILS AIMENT

LES CHATONS
DORMENT
DANS DES ENDROITS
BIEN CHAUDS
PELOTONNÉS
AU CREUX
D'UNE CORBEILLE
OU ÉTENDUS
RONRONNANT
AU SOLEIL

MAIS LES PETITS GARÇONS
ET LES PETITES FILLES,
LORSQUE VIENT LA NUIT,
QUE LE VENT
MURMURE DOUCEMENT
ET QUE LES ÉTOILES
SCINTILLENT,
DORMENT
DANS LEUR LIT
DOUILLET
BIEN AU CHAUD
SOUS LA COUETTE

POSTFACE À LA PRÉSENTE ÉDITION

Auteur américain de livres pour enfants, Charlotte Zolotow (1915-2013) nous a laissé quelque soixante-dix albums dans lesquels elle explore avec justesse le monde intérieur de l'enfance, ses émotions et son univers quotidien. Elle a également été éditrice chez Harper & Row. Son nom est associé depuis 1998 à un prix, le Charlotte Zolotow Award, qui distingue chaque année l'auteur du meilleur texte d'album publié aux États-Unis, à l'instar de la Caldecott Medal, décernée aux illustrateurs de livres pour enfants. Ses textes ont inspiré les plus grands : H. A. Rey, père de *Curious George*, qui illustre son premier livre en 1944, le jeune Maurice Sendak, qui met délicieusement en images *Mr. Rabbit and the Lovely Present* en 1962, mais aussi Hilary Knight, illustrateur de la série *Eloise*, Garth Williams, James Stevenson, William Pène du Bois, Tana Hoban… Certains de ces classiques ont été revisités par différents illustrateurs au fil du temps. Tel est le cas de ce *Sleepy Book* (*Bonne Nuit*), publié pour la première fois en 1958 chez Lothrop, Lee & Shepard Co. Sur le mode d'une comptine, ce livre, propice au coucher des petits noctambules, s'offre comme un rituel pour l'endormissement. Avec des mots simples, jouant des allitérations, l'auteur inventorie les surprenantes façons de dormir de certains animaux, qui contrastent pour finir avec celle, plus traditionnelle, des enfants.

Des trois versions illustrées du texte publiées en 1958, 1988 puis 2001, l'interprétation donnée par Vladimir Bobri (1898-1986) pour la première édition est incontestablement la plus originale. Cet Ukrainien installé aux États-Unis en 1921 fut peintre, décorateur de théâtre, graphiste, dessinateur pour la publicité, illustrateur, auteur, guitariste. Les précédents livres pour enfants qu'il a illustrés chez le même éditeur (notamment *A Kiss is Round* en 1954 et *N is for Nursery School* en 1956) laissent penser qu'il n'est pas étranger à la conception graphique de cet album, notamment dans les choix du papier couleur de nuit et de l'impression gris perle du texte dans le caractère Neuland, créé par Rudolf Koch en 1923, à la fois simple, lisible et si atypique. Subtilement construites, ses compositions stylisées, dominées par la ligne courbe et la parcimonie des tons, posent en délicatesse un monde paisiblement endormi, comme lové sur la page.

Il n'était que temps de faire découvrir en France cette belle réussite.

Carine Picaud, conservateur à la Réserve des livres rares
de la Bibliothèque nationale de France.

·

Bonne Nuit, première édition française de *Sleepy Book*, a été réalisée à partir de l'édition anglaise publiée en 1960 par The World's Work et conservée à la Réserve des livres rares de la Bibliothèque nationale de France.
Dans la présente édition, la typographie du texte français utilisée est la Jungle Fever, redessinée et numérisée par Nick Curtis (nicksfonts.com) d'après celle dessinée par Rudolf Koch en 1923. L'ouvrage est imprimé en quatre tons directs (noir, gris, rose et vert) sur papier offset, Senbo Munk Dkal en 150 g, et le papier de couverture est du Kraft White.